Ralboul et Lolotte
Fort comme moi !

texte **Paule Brière**

illustrations **Christine Battuz**

Les 400 coups

Nous remercions le Conseil des Arts du Canada de l'aide accordée à notre programme de publication et la SODEC pour son appui financier en vertu du Programme d'aide aux entreprises du livre et de l'édition spécialisée.

Nous reconnaissons l'aide financière du gouvernement du Canada par l'entremise du Programme d'aide au développement de l'industrie de l'édition (PADIÉ) pour nos activités d'édition.

Fort comme moi!
a été publié sous la direction de Paule Brière.

Design graphique : Andrée Lauzon
Révision : Marie-Josée Brière
Correction : Micheline Dussault

Diffusion au Canada
Diffusion Dimedia inc.
539, boulevard Lebeau
Saint-Laurent (Québec) H4N 1S2

Diffusion en Europe
Le Seuil

© 2004 Paule Brière, Christine Battuz et les éditions Les 400 coups
Montréal (Québec)

Dépôt légal – 3e trimestre 2004
Bibliothèque nationale du Québec
Bibliothèque nationale du Canada

ISBN 2-89540-180-2

Loi 49-956 du 16 juillet 1949 sur les publications destinées à la jeunesse.

Imprimé au Canada sur les presses de Litho Mille-Îles ltée

Pour Lauranne, qui a donné une troisième dimension
à Ralboul et Lolotte. Un gros merci!

Paule

À Marc, pour cette invitation au voyage
qui m'a menée si loin…

Christine

Coucou, Ralboul !

Salut, Lolotte !

Ralboul a un peu peur parfois.
Il voit de sombres méchants,
il entend des bruits inquiétants.

Parfois, ouah! Ralboul tremble
dans sa culotte.

Tout à coup, Ralboul dit:
— J'en ai assez de trembloter, moi.
Pas toi, Lolotte?

Ralboul part en guerre
contre les vilaines peurs
qui rôdent dans le noir.

Ralboul observe les ombres :
doigts crochus, dents pointues,
museaux poilus...

Tout à coup, Ralboul dit :
— Gare à toi, vieille branche !

Ralboul écoute les bruits :
Tic et tac, cric-croc-crac, patatrac
et schlack !

Tout à coup, Ralboul dit :
— Gare à toi, vieille casserole !

Ralboul chasse les fantômes :
Gro-gran-gra-grouk, Bachi-bouzouk
et autres ploucs.

Ralboul ne craint plus rien :
ni les vieilles branches,
ni les vieilles casseroles,
ni les vieux chnoques !

Tout à coup, Ralboul dit :
— C'est moi, le chevalier sans peur !

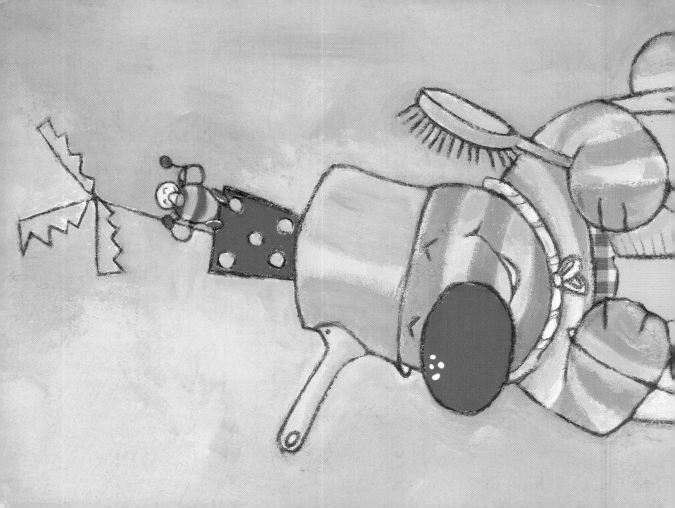